www.gerberaediciones.com.ar

Dirección Editorial: Fabiana Nolla Portillo
Diseño: Marcela Gauna - visionmg@gmail.com

"El Baile de Leia"
Texto: Susanna Isern
Ilustración: María José Olavarría Madariaga

Isern, Susanna
El baile de Leia / Susanna Isern ; ilustrado por María José Olavarría Madariaga. -
1a ed. - Buenos Aires : Gerbera Ediciones, 2013.
32 p. : il. ; 22x20 cm.
ISBN 978-987-23665-8-2
1. Narrativa Infantil y Juvenil Argentina. I. Olavarría Madariaga, María José, ilus. II. Título
CDD A863.928 2
Fecha de catalogación: 05/04/2013

Esta Edición se terminó de imprimir en Abril de 2013
en Gráfica Cartoon, Pcia. de Salta, Argentina

A mi amada hermana Pamela, por tener mariposas en su mirada...
A Susanna, mi amiga por mantener el vuelo más allá del tiempo.

María José Olavarria Madariaga

El Baile de Leia

S
xz
I

Para Yves, Adriel, Marc y Yuna,
que llenán mi camino de miles de mariposas.
Para Cote, por bailar este sueño conmigo y hacerlo maravilloso.

Susanna Isern

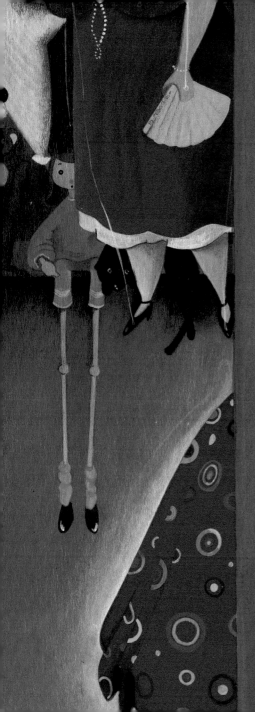

En el viejo teatro de títeres había decenas de marionetas.
Entre ellas estaba Leia, la bailarina de ballet,
la más especial de todas.

Hacía ya cientos de años que un artesano, aficionado
a las artes de la magia, había creado a la bailarina.
Qué extraño embrujo conjuró al tallarla nadie lo sabía.
Pero aquella muñeca era uno de los misterios del mundo.

Todas las tardes había una función en el viejo teatro de títeres. Personas desde todos los rincones del mundo acudían para ver el espectáculo, sobre todo el último número: **El Baile de Leia.**

Y es que cada vez que la marioneta bailaba
al son de la música melancólica lloraba...
Lloraba lágrimas de diminutos diamantes.

Pero cuando alguien intentaba tocarlos se deshacían transformándose en ríos, lagos, mares, océanos infinitos...de agua salada.

$\mathcal{C}$ada noche cuando se apagaban las luces y el teatro se vaciaba, Leia se soltaba de los hilos y regresaba al escenario. Entonces las teclas del piano comenzaban a saltar ligeras y la bailarina, que había cambiado sus zapatillas de lazos por unos zapatos de talón duro, comenzaba a taconear risueña al ritmo de la música alegre. En aquel momento Leia era la marioneta más feliz del mundo. Una amplia sonrisa se dibujaba en su cara y, hasta que el primer rayo de sol entraba por el tragaluz, bailaba...
¡Bailaba Claqué!

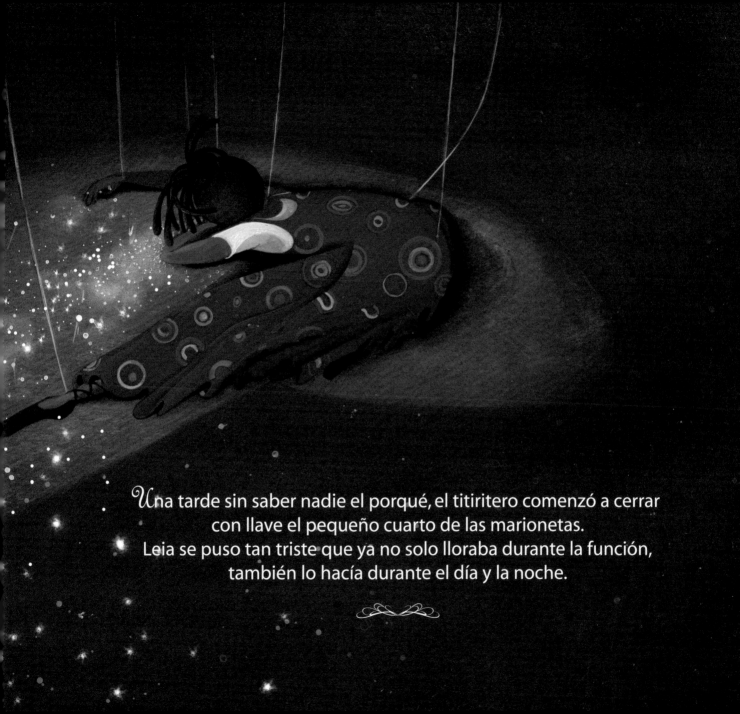

Una tarde sin saber nadie el porqué, el titiritero comenzó a cerrar
con llave el pequeño cuarto de las marionetas.
Leia se puso tan triste que ya no solo lloraba durante la función,
también lo hacía durante el día y la noche.

Lloraba lágrimas amargas, lánguidos ríos, lagos tristes, mares de pena, océanos desalentados...de diminutos y, a pesar de todo, preciosos diamantes. Los había por todas partes: debajo de la alfombra, en los cajones, entre los libros, en los pasadizos de ratones, pegados al techo..., incluso, en el bolsillo invisible del mago.

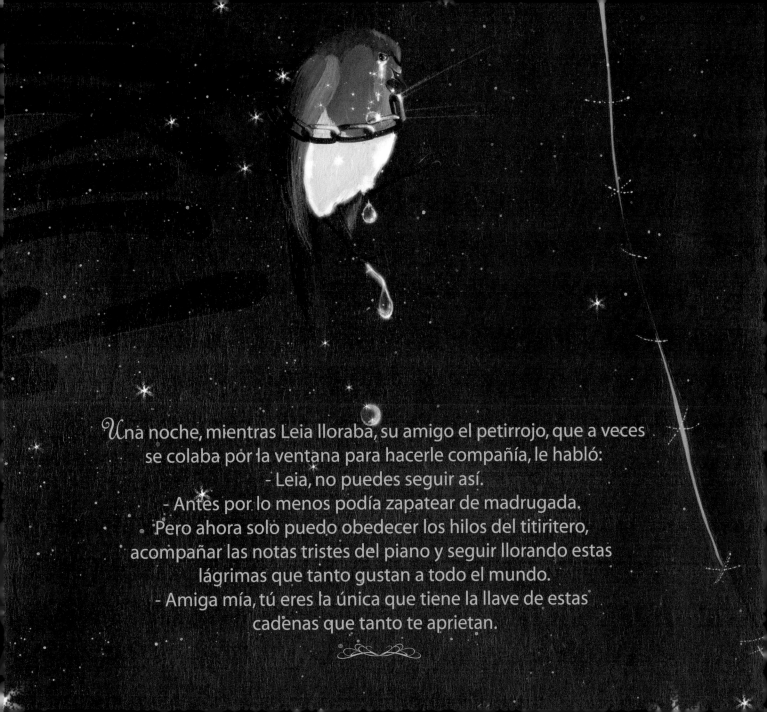

Una noche, mientras Leia lloraba, su amigo el petirrojo, que a veces
se colaba por la ventana para hacerle compañía, le habló:
- Leia, no puedes seguir así.
- Antes por lo menos podía zapatear de madrugada.
- Pero ahora solo puedo obedecer los hilos del titiritero,
acompañar las notas tristes del piano y seguir llorando estas
lágrimas que tanto gustan a todo el mundo.
- Amiga mía, tú eres la única que tiene la llave de estas
cadenas que tanto te aprietan.

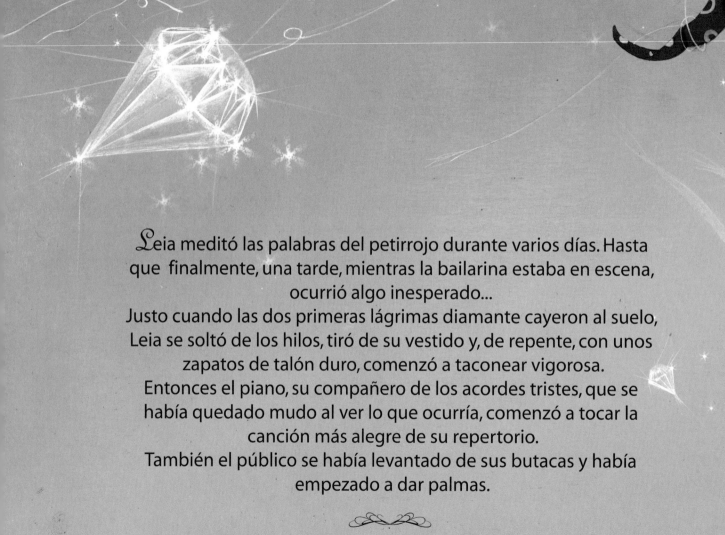

Leia meditó las palabras del petirrojo durante varios días. Hasta que finalmente, una tarde, mientras la bailarina estaba en escena, ocurrió algo inesperado...

Justo cuando las dos primeras lágrimas diamante cayeron al suelo, Leia se soltó de los hilos, tiró de su vestido y, de repente, con unos zapatos de talón duro, comenzó a taconear vigorosa.

Entonces el piano, su compañero de los acordes tristes, que se había quedado mudo al ver lo que ocurría, comenzó a tocar la canción más alegre de su repertorio.

También el público se había levantado de sus butacas y había empezado a dar palmas.

Aquella noche no hubo lágrimas, ni piedras preciosas. Pero
sucedió algo maravilloso...
Miles de mariposas comenzaron a salir de los rincones más
insospechados del teatro.
Mariposas que batían sus alas creando brisa.
Mariposas que lo impregnaron todo de color y alegría.
Mariposas que volaron y bailaron hasta que se escaparon
por las rendijas.

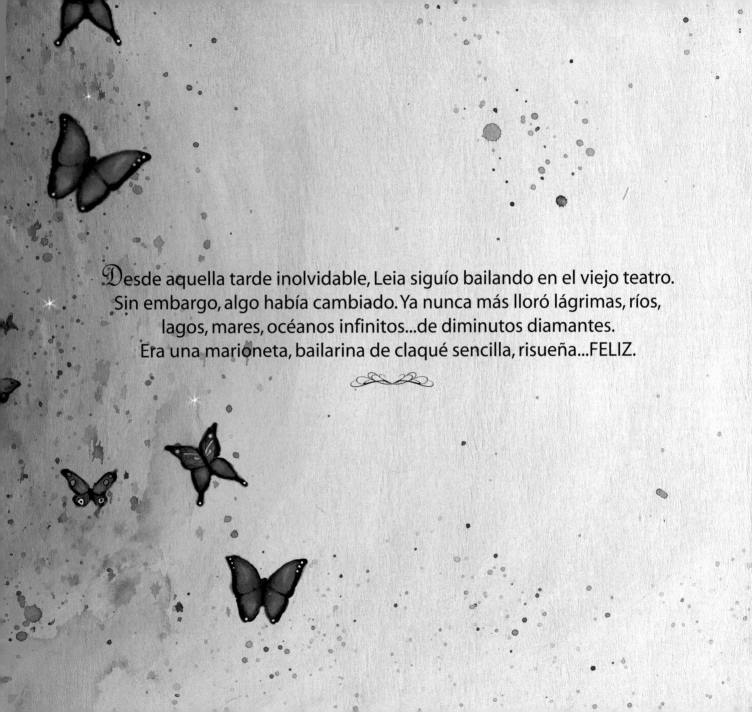

Desde aquella tarde inolvidable, Leia siguío bailando en el viejo teatro.
Sin embargo, algo había cambiado. Ya nunca más lloró lágrimas, ríos,
lagos, mares, océanos infinitos...de diminutos diamantes.
Era una marioneta, bailarina de claqué sencilla, risueña...FELIZ.